Paddington

et le Noël
surprise

Première publication en langue originale par HarperCollins Publishers Ltd.
sous le titre *Paddington and the Christmas Surprise*

Texte © Michael Bond, 1997, 2008
Illustrations © R.W. Alley, 1997, 2008
Tous droits réservés.
L'auteur et l'illustrateur revendiquent leurs droits moraux à être identifiés
comme les auteurs et illustrateurs de cette œuvre.

© Michel Lafon, 2014, pour la traduction française
118, avenue Achille Peretti
CS 70024 – 92521-Neuilly-sur-Seine Cedex
www.lire-en-serie.com

Dépôt légal : octobre 2014
ISBN : 978-2-7499-2228-7
LAF 1835D

Imprimé en Chine.

Michael Bond

Illustré par R.W. Alley

Paddington
et le Noël
surprise

Traduction et adaptation de l'anglais (Grande-Bretagne)
par Jean-Noël Chatain

Un matin d'hiver, Paddington annonça qu'il emmenait toute la famille Brown au grand magasin Barkridges pour voir le Père Noël.

— C'est drôlement intéressant, expliqua-t-il. En plus de rencontrer M. Noël, on peut faire une promenade en traîneau dans la Féerie des Neiges et visiter son atelier au pôle Nord. Peut-être même qu'on découvrira où il fabrique sa marmelade !

Puis Paddington releva la tête
et vit un homme qui l'observait.

— Es-tu un garçon ou
une fille ? lui demanda
le directeur du magasin.

— Ni l'un ni l'autre, répondit
Paddington. Je suis un ours.

— À mon avis, tu ressembles
à une grosse bestiole, répliqua
l'homme d'un air désagréable.
Tu devrais peut-être revenir
l'an prochain, quand tu auras décidé
qui tu es vraiment.

— Revenir l'an prochain ? répéta
Paddington. Mais j'ai apporté ma liste
de cadeaux de Noël. Je me suis dit
que ça éviterait les frais d'envoi.

Les Brown se trouvaient trop loin
pour entendre la conversation,
mais en voyant la tête de
Paddington, ils devinèrent
qu'un truc clochait.
— Dépêche-toi !
lui cria Mme Bird.
Nous t'attendons tous !

— Oh ! là, là ! Henry…
dit Mme Brown. J'espère que
la promenade en traîneau lui plaira.
Paddington économise depuis
des lustres l'argent de poche de
ses petits pains, et il sera vraiment
déçu si la balade ne comble pas
ses espérances.

Tandis que Paddington grimpait à bord
et que la visite commençait,
M. Brown brandit une brochure.

— Écoutez tous ! lança-t-il. Tout d'abord,
nous allons passer devant le jardin d'hiver
du Père Noël.

— Je crois bien que je préfère la jardinière
de Mme Bird, dit Paddington.

Les Brown échangèrent un regard inquiet.
La balade démarrait plutôt mal.

— Et cette bâtisse, qu'en dites-vous ? continua M. Brown au détour du chemin. C'est l'écurie où le Père Noël garde ses rennes.

Paddington resta muet. À ses yeux, cela ressemblait plus à un chenil et le seul renne qu'il voyait était en plastique, les pattes en l'air, comme s'il avait dégringolé dans la neige !

M. Brown montra ensuite une très grande tour avec une lumière clignotante au sommet.

— C'est le phare du pôle Nord, expliqua-t-il. Il veille à ce que le Père Noël rentre chez lui sain et sauf, après avoir livré tous ses cadeaux.

Paddington fixa le phare des yeux.

— Il doit y avoir un fil débranché, monsieur Brown ! s'exclama-t-il. La lumière ne cesse de s'allumer et de s'éteindre.

— Les phares sont censés clignoter, intervint Jonathan. Ils envoient tous un signal différent pour aider les gens à se diriger.

Mais Paddington n'écoutait plus. Il comptait dans sa tête les petits pains dont il s'était privé pour leur offrir la promenade.

— Voilà quelque chose de plus intéressant, reprit M. Brown en tentant de prendre un air joyeux.

Ils s'approchaient d'une grande maison avec des automates qui remuaient derrière chaque fenêtre.

— Nous allons entrer dans l'atelier du Père Noël !

— Regardez les elfes ! s'exclama Judy.

En se tournant vers Paddington pour lui expliquer ce qu'étaient des elfes, elle poussa un cri. Il avait disparu !

— Fais quelque chose, Henry ! gémit Mme Brown
en comprenant ce qui se passait.

— Que veux-tu donc que je fasse au beau milieu
d'un atelier ? répliqua M. Brown.

— Nous n'avons pas fini la visite, prévint Mme Bird.
Paddington sera très contrarié s'il en manque une partie.

M. Brown essaya de faire bonne figure,
mais lorsqu'ils achevèrent la promenade
et que Paddington n'avait pas réapparu,
il semblait aussi inquiet que les autres.

Il s'adressa alors à l'un des assistants du Père Noël.

— Un ours est tombé dans notre installation ?
s'écria l'homme. Je vais tout de suite prévenir le directeur !

— Où est-il ? hurla le directeur. Où est-il ? Je vais lui offrir un cadeau qu'il n'est pas près d'oublier !

Mme Bird empoigna fermement son parapluie.

— Suivez-moi tous ! lança-t-elle. Je crois que nous avons eu assez d'émotions pour la journée !

— Paddington est à la une des journaux, annonça M. Brown le lendemain matin au petit déjeuner. Écoutez un peu :
« D'étranges événements se produisent dans un grand magasin de Londres ! »

— Une chose est sûre, dit Mme Brown.
On ne nous autorisera plus de sitôt à entrer chez Barkridges !

— Ça dépend, intervint Jonathan. Écoutez ça :
« La foule se presse dans l'atelier du Père Noël.
On recherche toujours l'ours mystérieux ! »

Tout le monde était si occupé à lire son journal que personne ne remarqua le départ de Mme Bird.

Elle avait un important coup de téléphone à passer.

— Barkridges vous souhaite un joyeux Noël, déclara le directeur quelques jours plus tard. Depuis que ce jeune ours nous a honorés de sa visite, les clients font la queue dans la rue. Comme au bon vieux temps !

Il se tourna vers Mme Bird :

— Merci à vous, chère madame, de nous avoir téléphoné.

— Peut-être que je devrais effectuer d'autres réparations pour vous ? suggéra Paddington, plein d'espoir.

— Je ne crois pas que ce sera nécessaire, s'empressa de répondre le directeur. Et puis le Père Noël vous attend tous. Après votre promenade *gratuite* en traîneau !

La famille Brown partit alors gaiement pour une nouvelle balade dans la Féerie des Neiges. Cette fois, tout fonctionnait à merveille et le Père Noël les accueillit à la fin de leur visite.

Ho! ho! ho!

lança-t-il.

À qui ai-je l'honneur ?

— Je suis un ours, monsieur Noël, répondit Paddington. Et je viens du fin fond du Pérou.

— Dans ce cas, dit le Père Noël en plongeant la main derrière son fauteuil, je sais exactement ce qu'il te faut !

Paddington faillit tomber à la renverse, quand le Père Noël brandit un énorme pot de marmelade avec l'étiquette

« **FAIT MAISON** »

et un gros ruban rouge.

— C'est ce que je préfère, monsieur Noël ! s'exclama-t-il. Comment avez-vous deviné ?

Mme Bird devint toute rouge quand le Père Noël lui adressa un sourire complice. Elle prit alors la parole :

— La grande qualité du Père Noël, c'est de savoir exactement ce que chacun souhaite comme cadeau. C'est ce qui le rend exceptionnel !

— Surtout qu'il fabrique sa propre marmelade ! ajouta joyeusement Paddington. Je le savais !